Susi Weiss

Schlager & Chansons

Der 20er- bis 40er-Jahre für Klavier

2 CDs

Impressum
© 2011 by Edition DUX, Manching
D 635-CD / ISMN 979-0-50017-062-4 / ISBN 978-3-86849-149-4

CD-Produktion:
Klavier: Susi Weiss
Schlagzeug: Csaba Schmitz
Kontrabass: Dietmar Kastowsky
Mixed/Audioengineering: Hans-Martin Buff
Recorded at ToRun Music Productions Wasserburg am Inn by Selcuk Torun

Umschlaggestaltung:
Rauchbauer & Partner Werbeagentur GmbH, Gaimersheim

Satz und Layout:
Regina Krauß, Speyer

Nachdruck verboten! Fotokopieren verboten!
www.dux-verlag.de

Inhalt

Bel ami 84	Kann denn Liebe Sünde sein? 46
Die Kirschen in Nachbars Garten 48	Kauf dir einen bunten Luftballon 32
Die Männer sind alle Verbrecher 86	Liebling, was wird nun aus uns beiden 92
Die Nacht ist nicht allein zum Schlafen da 10	Man kann sein Herz nur einmal verschenken 12
Du schwarzer Zigeuner 14	Man müsste Klavier spielen können 70
Er heißt Waldemar 60	Mein kleiner, grüner Kaktus 22
Es leuchten die Sterne 8	Mein Liebeslied muss ein Walzer sein 94
Es muss was Wunderbares sein 38	Musik! Musik! Musik! 54
Frauen sind keine Engel 6	Nur nicht aus Liebe weinen 82
Hallo, kleines Fräulein 16	Original Charleston 40
Ich bin von Kopf bis Fuß auf Liebe eingestellt 30	Regentropfen 90
Ich brech die Herzen der stolzesten Frau'n 52	Salome 24
Ich steh im Regen 36	Sing mit mir! 76
Ich tanze mit dir in den Himmel hinein 88	So schön wie heut, so müsst es bleiben 19
Ich weiß, es wird einmal ein Wunder geschehn 66	Unter einem Regenschirm am Abend 43
Ich werde jede Nacht von Ihnen träumen 80	Veronika, der Lenz ist da 72
Ich wollt, ich wär ein Huhn 4	Was du mir erzählt hast von Liebe und Treu' 34
In der Nacht ist der Mensch nicht gern alleine 63	Wenn die Sonne hinter den Dächern versinkt 57
In einer Nacht im Mai 74	Wir machen Musik 27
Junger Mann im Frühling 50	Zwei in einer großen Stadt 68

Ich wollt, ich wär ein Huhn

Musik: Peter Kreuder
Text: Hans-Fritz Beckmann
Bearb.: Susi Weiss

Frauen sind keine Engel

Es leuchten die Sterne

Musik: Leo Leux/Matthias Perl
Text: Hans Hannes/Bruno Balz
Bearb.: Susi Weiss

Die Nacht ist nicht allein zum Schlafen da

Musik: Theo Mackeben
Text: Otto Ernst Hesse
Bearb.: Susi Weiss

© Mit freundlicher Genehmigung BEBOTON-VERLAG GMBH

Du schwarzer Zigeuner

Musik: Karel Vacek
Text: Beda
Bearb.: Susi Weiss

Hallo, kleines Fräulein
(Gisela)

So schön wie heut, so müsst es bleiben

Musik: Franz Grothe
Text: Willy Dehmel
Bearb.: Susi Weiss

© 1941 by Ufaton-Verlagsgesellschaft GmbH, 2007 assigned to: Dreiklang-Dreimasken Bühnen- und Musikverlag GmbH

Mein kleiner, grüner Kaktus

Musik: Bert Reisfeld/Albert Marcuse
Text: André Chevrier/Louis Poterat
dtsch. Text: Hans Herda
Bearb.: Susi Weiss

© 1934 by Edition Choudens Paris (Premiere Music Group). SVL: Universal/MCA Music Publishing GmbH.

Salome

Musik: Robert Stolz
Text: Arthur Rebner
Bearb.: Susi Weiss

Wir machen Musik

Musik: Adolf Steimel/Peter Igelhoff
Text: Helmut Kaeutner/Aldo von Pinelli
Bearb.: Susi Weiss

Ich bin von Kopf bis Fuß auf Liebe eingestellt

Musik & Text: Friedrich Hollaender
Bearb.: Susi Weiss

Kauf dir einen bunten Luftballon

CD 1 | 13

Musik: Anton Profes
Text: Aldo von Pinelli
Bearb.: Susi Weiss

© Mit freundlicher Genehmigung CINETON-VERLAG GMBH

Was du mir erzählt hast von Liebe und Treu'

Musik: Peter Kreuder
Text: Hans Fritz Beckmann
Bearb.: Susi Weiss

© 1936 Edition Meisel GmbH

Es muss was Wunderbares sein, von dir geliebt zu werden

Musik: Ralph Benatzky
Text: Robert Gilbert
Bearb.: Susi Weiss

© 1930 by Charivari Musikverlag GmbH, assigned to: Dreiklang-Dreimasken Bühnen- und Musikverlag GmbH

Original Charleston

CD 1 | 17

Musik & Text: James Johnson/Cecil Mack
Bearb.: Susi Weiss

Unter einem Regenschirm am Abend

Musik & Text:
Alexander Steinbrecher
Bearb.: Susi Weiss

© 1942 by Edition Meisel GmbH/Aibl Josef Verlag OHG

Kann denn Liebe Sünde sein?

© 1938 by Ufaton-Verlagsgesellschaft GmbH, 2007 assigned to: Dreiklang-Dreimasken Bühnen- und Musikverlag GmbH

Die Kirschen in Nachbars Garten

Musik & Text: Victor Hollaender
Bearb.: Susi Weiss

Ich brech die Herzen der stolzesten Frau'n

Musik: Lothar Brühne
Text: Bruno Balz
Bearb.: Susi Weiss

© 1938 by Wiener Boheme Verlag GmbH, 2007 assigned to: Universal/MCA Music Publishing GmbH

Musik! Musik! Musik!
(Ich brauche keine Millionen)

Musik: Peter Kreuder
Text: Hans-Fritz Beckmann
Bearb.: Susi Weiss

Wenn die Sonne hinter den Dächern versinkt

Musik: Peter Kreuder
Text: Günther Schwenn
Bearb.: Susi Weiss

© 1936 by Edition Meisel GmbH

Er heißt Waldemar

Musik: Michael Jary
Text: Bruno Balz
Bearb.: Susi Weiss

© 1941 by Wiener Boheme Verlag GmbH, 2007 assigned to: Universal/MCA Music Publishing GmbH

Ich weiß, es wird einmal ein Wunder geschehn

Musik: Michael Jary
Text: Bruno Balz
Bearb.: Susi Weiss

© 1942 by Ufaton-Verlagsgesellschaft GmbH, 2007 assigned to: Dreiklang-Dreimasken Bühnen- und Musikverlag GmbH

Zwei in einer großen Stadt

Musik & Text: Willi Kollo
Bearb.: Susi Weiss

Man müsste Klavier spielen können

Musik: Friedrich Schröder
Text: Hans-Fritz Beckmann
Bearb.: Susi Weiss

Veronika, der Lenz ist da

Musik: Walter Jurmann
Text: Fritz Rotter
Bearb.: Susi Weiss

In einer Nacht im Mai

Musik: Peter Kreuder/Friedrich Schröder
Text: Hans-Fritz Beckmann
Bearb.: Susi Weiss

Sing mit mir!

CD 2 | 12

Musik: Franz Grothe
Text: Willy Dehmel
Bearb.: Susi Weiss

© 1941 by Ufaton-Verlagsgesellschaft GmbH, 2007 assigned to: Dreiklang-Dreimasken Bühnen- und Musikverlag GmbH

Ich werde jede Nacht von Ihnen träumen

Musik: Karl Charles Milloecker
Text: Hans-Fritz Beckmann
Bearb.: Susi Weiss

Nur nicht aus Liebe weinen

Musik: Theo Mackeben
Text: Hans-Fritz Beckmann
Bearb.: Susi Weiss

Bel ami

Musik: Theo Mackeben
Text: Hans-Fritz Beckmann
Bearb.: Susi Weiss

Die Männer sind alle Verbrecher

Musik: Walter Kollo
Text: Rudolf Bernauer/Rudolf Schanzer
Bearb.: Susi Weiss

© 1913 by Dreiklang-Dreimasken-Bühnen- und Musikverlag GmbH

Ich tanze mit dir in den Himmel hinein

Regentropfen

Musik: Emil Palm
Text: Josef Hochleitner
Bearb.: Susi Weiss

© 1935 by Albert Bennefeld Musikverlag, Berlin

Mein Liebeslied muss ein Walzer sein

Musik: Robert Stolz
Text: Robert Gilbert
Bearb.: Susi Weiss